D1091319

L'Arbre de l'amitié

Kit Chase

ALBUMS
circonflexe

À maman et papa,

à Adam mon meilleur copain

et à mes adorables petits camarades :

Pearly, Gwynnie et Lucy

(ainsi qu'à tous ceux que je n'ai pas encore rencontrés !)

Lulu

Oliver

Charlie

Il était une fois trois amis.

Ils adoraient jouer dans la forêt.

« Cachés ou pas, j'arrive ! » annonce Oliver.

Il trouve Lulu perchée sur une branche.
Mais le petit éléphant a beau bondir et rebondir,
il ne parvient pas à toucher son amie.

« Ce n'est pas juste, les arbres sont beaucoup trop hauts ! » se plaint Oliver.

« Mais c'est dans les arbres que se trouvent les meilleures cachettes ! » lui explique Lulu.

« Les arbres ne sont pas tous identiques, le rassure Charlie, viens, nous allons en trouver un où tu pourras te cacher toi aussi. »

Les trois amis partent donc à la recherche d'un autre arbre.
« Regarde ! Celui-ci est assez bas pour que tu puisses
y grimper » s'exclame Lulu.

Mais cet arbre est bien trop petit pour Oliver.

Ils se mettent alors en quête d'un nouvel arbre.
« Tiens, essaie de monter sur celui-ci ! propose Charlie,
il a de plus grosses branches. »

Mais cet arbre est bien trop grand pour Oliver.
Il ne peut toujours pas rejoindre ses amis.

Ils choisissent donc un dernier arbre.

« Fantastique ! se réjouit Lulu,
nous allons t'aider à grimper. »

Cet arbre était
vraiment parfait.

Jusqu'à ce que...

« C'est sans espoir ! »
gémit Oliver.

« Les éléphants ne sont pas faits pour grimper aux arbres, c'est tout ! »

Le petit éléphant se met alors à marcher dans
la forêt jusqu'à ce qu'il tombe de fatigue.

Lorsque Charlie et Lulu le retrouvent enfin,
leur ami dort à poings fermés.

« Pauvre Oliver… murmure Charlie, il est si triste.
J'aimerais tellement pouvoir l'aider. »
« J'ai un plan » propose alors Lulu.

Lulu se met à chercher
dans les arbres

pendant que Charlie
fouille dans les herbes.
Ils rassemblent des bouts
de bois, de la mousse et des
brassées de feuilles.

Puis ils déplacent des pierres, plantent des bâtons

bricolent et travaillent ensemble jusqu'à ce que tout soit parfait.

« Surprise ! » crient les deux amis
au réveil d'Oliver.
« Où suis-je ? » demande le petit éléphant.
« Dans un arbre ! » lui répond Charlie.

« Il n'est ni trop petit ni trop grand !
ajoute Lulu, c'est une cabane. Elle est
parfaite pour nous trois ! »
« Hourra ! » se réjouit Oliver.

« C'est le plus bel arbre du monde ! »

Traduction de l'anglais par Alice Barbe Diamant

Titre original : *Oliver's Tree*
Copyright © 2014 by Kit Chase.
All rights reserved including the right of reproduction in whole or in part in any form.
This edition published by arrangement with G.P. Putman's Sons, an imprint of Penguin
Young Readers Group, a division of Penguin Random House LLC.

© 2016, Circonflexe pour l'édition en langue française
ISBN : 978-2-87833-829-4
℗ Imprimé en Chine
Dépôt légal : juin 2016
Loi n° 49-956 du 16 juillet 1949
sur les publications destinées à la jeunesse